Deinosoriaid yn fy Ysgol

TRICERATOPS
(tri-SERA-tops)

STEGOSAURUS
(STEG-o-SAW-rws)

PTEROSAUR
(Te-RAW-sor)

HADROSAURUS
(HAD-raw-SAWR-ws)

ANKYLOSAURUS
(an-CI-lo-saw-rws)

PARASAUROLOPHUS
(Para-SAWR-ol-offws)

IGUANODON
(ig-WA-no-don)

SPINOSAURUS
(Spin-o-SAWR-ws)

TYRANNOSAURUS REX
(Ty-RAN-o-SAW-rws recs)

APATOSAURUS
(A-PAT-o-saw-rws)

VELOCIRAPTOR
(Fel-OSI-rap-tor)

I Rose a Harry, â chariad
T.K.

I Elin, meistres chwarae cuddio
S.W.

Testun © Timothy Knapman 2015
Lluniau © Sarah Warburton 2015
Y cyhoeddiad Cymraeg © 2016 Gwasg y Dref Wen Cyf.

Mae Timothy Knapman a Sarah Warburton wedi datgan eu hawl
i gael eu cydnabod fel awdur ac arlunydd y gwaith hwn
yn unol â deddf Hawlfraint, Dyluniadau a Phatentau 1988.

Cyhoeddwyd gyntaf yn Saesneg yn 2015
gan Scholastic Children's Books
Euston House, 24 Eversholt Street, Llundain NW1 1DB
dan y teitl *Dinosaurs in my school*
Cyhoeddwyd yn Gymraeg 2016 gan Wasg y Dref Wen Cyf.
28 Ffordd yr Eglwys, Yr Eglwys Newydd,
Caerdydd CF14 2EA
Ffôn 029 20617860.
Cyhoeddwyd gyda chymorth ariannol Cyngor Llyfrau Cymru.

Argraffwyd yn Malaysia.

Deinosoriaid yn fy Ysgol

Gan **Timothy Knapman**

Lluniau gan **Sarah Warburton**

Addasiad gan **Gwynne Williams**

DREF WEN

Mae haid o ddeinosoriaid
O gwmpas ein parc ni.
'Di Mam ddim yn eu hofni
Na'u gweld nhw - ydych chi?
Ond beth am y rhai sneclyd

Sydd YN fy ysgol i?

Mae rhai yn y wers arlunio
Yn saethu paent a glud

Ac eraill yn gwastraffu
Y gloywon mân i gyd.

A phan dw i yn brysur
Yn ceisio paentio llun

Mae Apto yn ei lowcio,
A 'nghreons lliw bob un.

"Mae deinosoriaid yma!"
Ond dwi'n cael siars a gwg
A Miss yn gweiddi arnaf
Am fod yn fachgen drwg!

Ac yn y wers gerddoriaeth
Mae'n chwalfa – peidiwch sôn!
Mae Stego'n stompio'r drymiau
A llowcio'r microffon.

"Pwy ddaru dorri'r silffoedd
A chnoi'r bwrdd gwyn ma'n ddau?
A dyna ôl crafangau.
Rhaid setlo hyn yn glau!"

"Mae deinosoriaid yma —
Dwi'n gwybod hyn am ffaith!"
"Eistedda i lawr yn dawel!
Dwi ddim yn dweud dwy waith!"

Mae Tero'n cipio 'mhitsa
Pan af i i'r cantîn,
A phan dwi'n gweiddi arno
Mae'n gwneud sŵn cas a blin.

'Dyn ni'n mynd allan wedyn
I'r cae i gadw stŵr,
Ond efo'r deinosoriaid
Chawn ni ddim gêm, dwi'n siŵr.

Trisera'n bostio'r peli ...

Felosi'n rasio'n chwim ...

A Spino'n malu'r goliau ...
A syr yn malio dim.

"O'r annwyl ...

DEINOSORIAID!

Mi roedd o'n iawn, on'd oedd?"
Mae'r staff yn mynd ar garlam
Â gwich a gwaedd a bloedd.

Fy ngadael i fy hunan ....
... A'r deinosoriaid brwnt!
Rhaid mynd i alw'r Pennaeth.
Mae hi yn ddewr tu hwnt!"

PENNAETH

CNOCIWCH

Dwi'n mynd i'w swyddfa'n nerfus.
Dwi'n cnocio UN ... DAU ... TRI.
Ond pan mae'r drws yn agor...

"HELP! Sbïwch be 'di hi!"

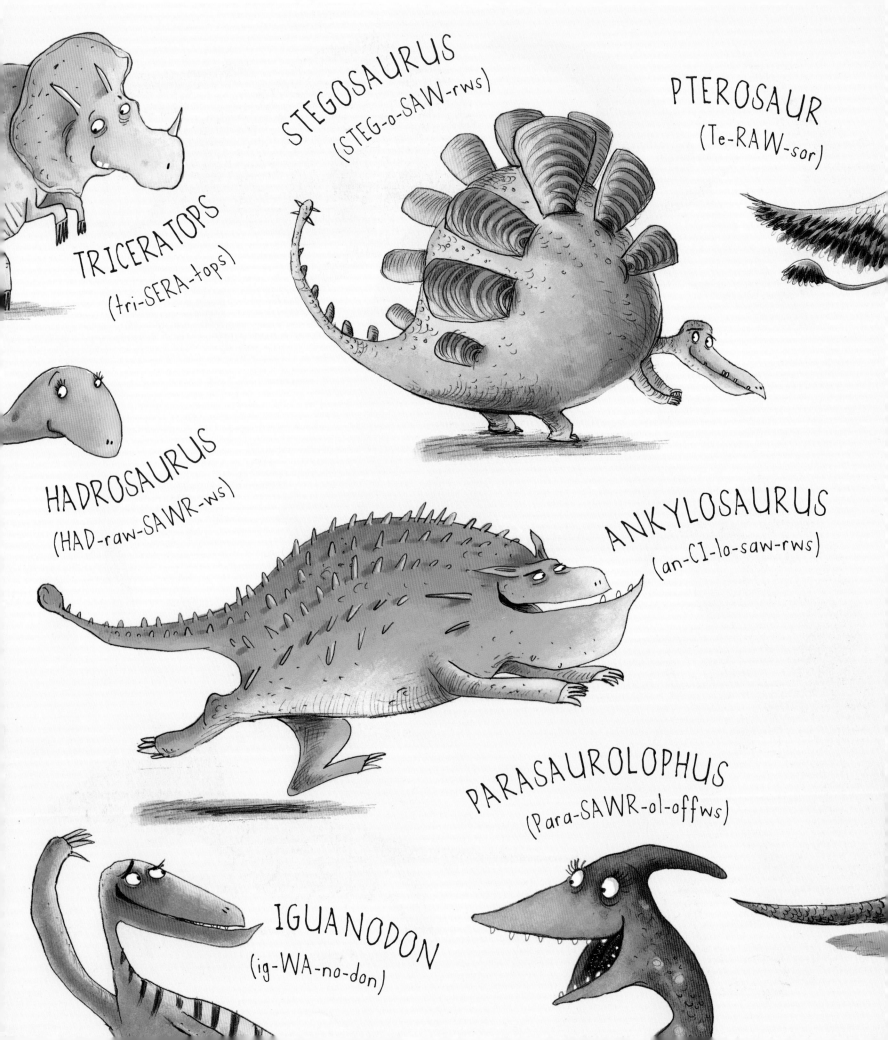

TRICERATOPS
(tri-SERA-tops)

STEGOSAURUS
(STEG-o-SAW-rws)

PTEROSAUR
(Te-RAW-sor)

HADROSAURUS
(HAD-raw-SAWR-ws)

ANKYLOSAURUS
(an-CI-lo-saw-rws)

PARASAUROLOPHUS
(Para-SAWR-ol-offws)

IGUANODON
(ig-WA-no-don)

SPINOSAURUS
(Spin-o-SAWR-ws)

TYRANNOSAURUS REX
(Ty-RAN-o-SAW-rws recs)

APATOSAURUS
(A-PAT-o-saw-rws)

VELOCIRAPTOR
(Fel-OSI-rap-tor)